PATTERNS

매스티안

팩토슐레 Math Lv. 1 교재 소개

" 우리 아이 첫 수학도 창의력을 키우는 **FACTO**와 함께! "

- **팩토슐레**는 처음 수학을 시작하는 유아를 위한 창의사고력 전문 프로그램입니다.
- **팩토슐레**는 만들기, 게임, 색칠하기, 붙임딱지 붙이기 등의 다양한 수학 활동을 하면서 스스로 수학 개념을 알 수 있도록 구성하였습니다.

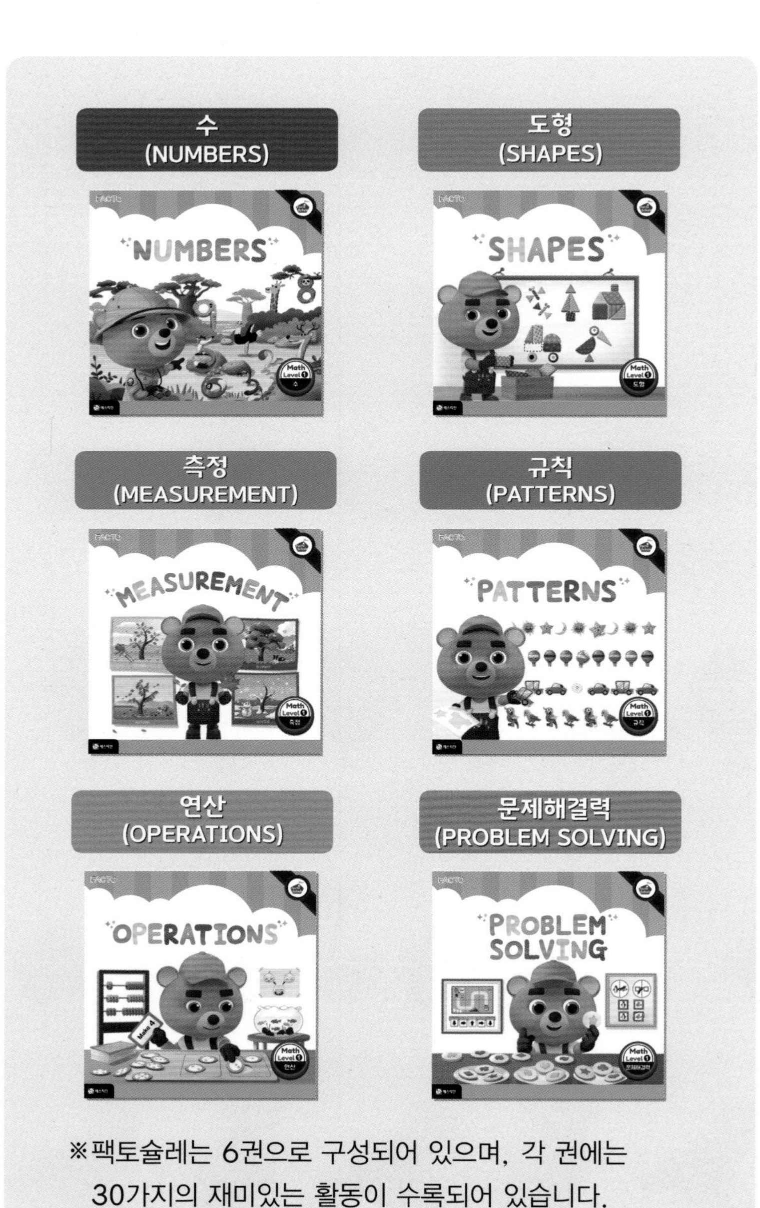

※팩토슐레는 6권으로 구성되어 있으며, 각 권에는 30가지의 재미있는 활동이 수록되어 있습니다.

누리과정

팩토슐레는 누리과정 · 초등수학과정을 연계하여 수학의 5대 영역(수와 연산, 공간과 도형, 측정, 규칙, 문제해결력)을 균형 있게 학습할 수 있도록 하였습니다.
특히 가장 중요한 수와 연산은 각 권으로 구성하여 깊이 있는 학습이 가능하도록 하였습니다.

STEAM PLAY MATH

팩토슐레는 4, 5, 6세 연령별로 학습할 수 있도록 설계한 놀이 수학입니다.
매일매일 놀이하듯 자르고, 붙이고, 색칠하는 30가지의 재미있는 활동을 통해 창의사고력을 기를 수 있습니다.

동화책풍의 친근한 그림

팩토슐레는 동화책풍의 그림들을 수록하여 아이들이 수학을 더욱 친근하게 느끼며 좋아할 수 있도록 하였습니다. 또한 한글을 최소화하고 학습 내용을 직관적으로 이해할 수 있도록 하였습니다.

" 수학 교육 분야 **증강현실**(AR)과 **사물인식**(OR) 기술을 **국내 최초** 도입 "

자기주도학습 팩토슐레 App만의 장점

팩토슐레 App은 사물인식(OR) 기술을 사용하여 아이들의 학습 정보를 습득한 후, App에 프로그래밍된 학습도우미를 통하여 아이들이 문제 푸는 것을 힘들어하거나 틀릴 경우에는 힌트를 제공합니다.
이와 같은 방식의 스마트기기와의 상호작용은 학습의 효율을 높이고 자기주도학습 능력을 길러 줍니다.

완벽한 학습 설계 App 다른 교육 App과의 차별점

팩토슐레 App은 수학 교육 목표에 맞게 완벽한 학습 설계가 되어 있습니다. 아이들은 게임 기반의 학습 App을 진행하면서 어려운 문제도 술술 풀 수 있습니다.

증강현실(AR) 기술 도입

팩토슐레 App은 아이들이 캐릭터와 사진도 찍고, 자신이 그린 그림으로 자기만의 쿠키도 만들면서 학습 몰입도를 높일 수 있습니다.

01

좋아하는 동물의 얼굴을 그린 그림이에요. 그런데 아직 그림이 완성되지 않았네요.
붙임딱지로 **동물의 얼굴을 꾸며 나만의 그림**을 완성해 보세요. 붙임딱지 ① ② 활동지 ①

규칙 찾아 **완성**하기!

     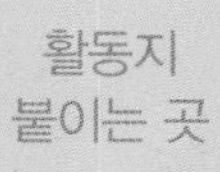

활동지
붙이는 곳

활동지
붙이는 곳

활동지
붙이는 곳

활동지
붙이는 곳

엄마는 선생님!

첫 번째 그림을 A, 두 번째 그림을 B라고 할 때, **AB/AB/AB/AB**의 순서로 모양이 바뀌는 규칙입니다.
아이가 '판다, 쥐, 판다, 쥐, …'라고 말하면서 스스로 규칙을 찾을 수 있도록 지도합니다. 나만의 개성 있는 얼굴을 꾸미는 활동을 통해 창의력이 향상됩니다.

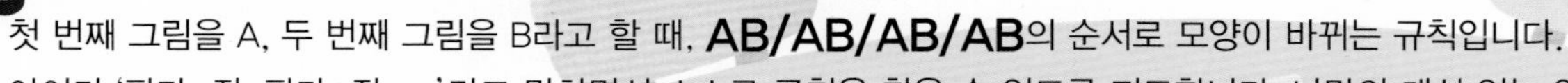

02

토끼와 생쥐가 풍선을 잡고 하늘을 두둥실 떠 다니고 있어요. 고양이는 양손에 풍선을 잡고 멀리 날아가고 있네요. 활동지를 작은 조각으로 오리거나 찢어 붙여서 **나만의 풍선**을 만들어 보세요. 활동지 ① ③

규칙 찾아 완성하기!

활동지
붙이는 곳

활동지
붙이는 곳

활동지
붙이는 곳

활동지
붙이는 곳

첫 번째 그림을 A, 두 번째 그림을 B라고 할 때, **AB/AB/AB/AB**의 순서로 색깔이나 모양이 바뀌는 규칙입니다.
아이가 '빨강, 파랑, 빨강, 파랑, …'이라고 말하면서 스스로 규칙을 찾을 수 있도록 지도합니다.

03
아주 크고 멋진 풍차가 있어요. 풍차에 커다란 날개가 매달려 뱅글뱅글 돌아가고 있네요.
점과 점을 선으로 이어 돌아가는 날개를 완성해 보세요.
활동지 ①

규칙 찾아 완성하기!

활동지
붙이는 곳

활동지
붙이는 곳

활동지
붙이는 곳

활동지
붙이는 곳

엄마는 선생님!

첫 번째 그림을 A, 두 번째 그림을 B라고 할 때, **AB/AB/AB/AB**의 순서로 모양과 색깔이 바뀌는 규칙입니다. 아이가 '풍차, 집, 풍차, 집, …'이라고 말하면서 스스로 규칙을 찾을 수 있도록 지도합니다.

04 엄마와 함께 '작은 별' 노래를 부르며 리듬에 맞춰 **규칙적인 동작**을 해 보세요. 활동지 ❶

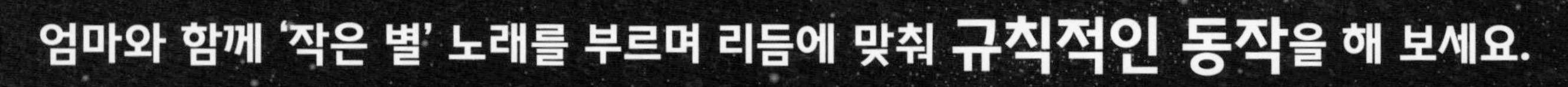

Let's study!

❶ 엄마가 먼저 노래를 부르고 아이가 따라 부르며 노래를 익힙니다.

❷ 노래에 맞춰 '쿵짝' 리듬 동작을 해 봅니다.

❸ 노래와 동작이 익숙해지면 동작 규칙을 바꿔 가며 재미있게 노래해 봅니다.

예

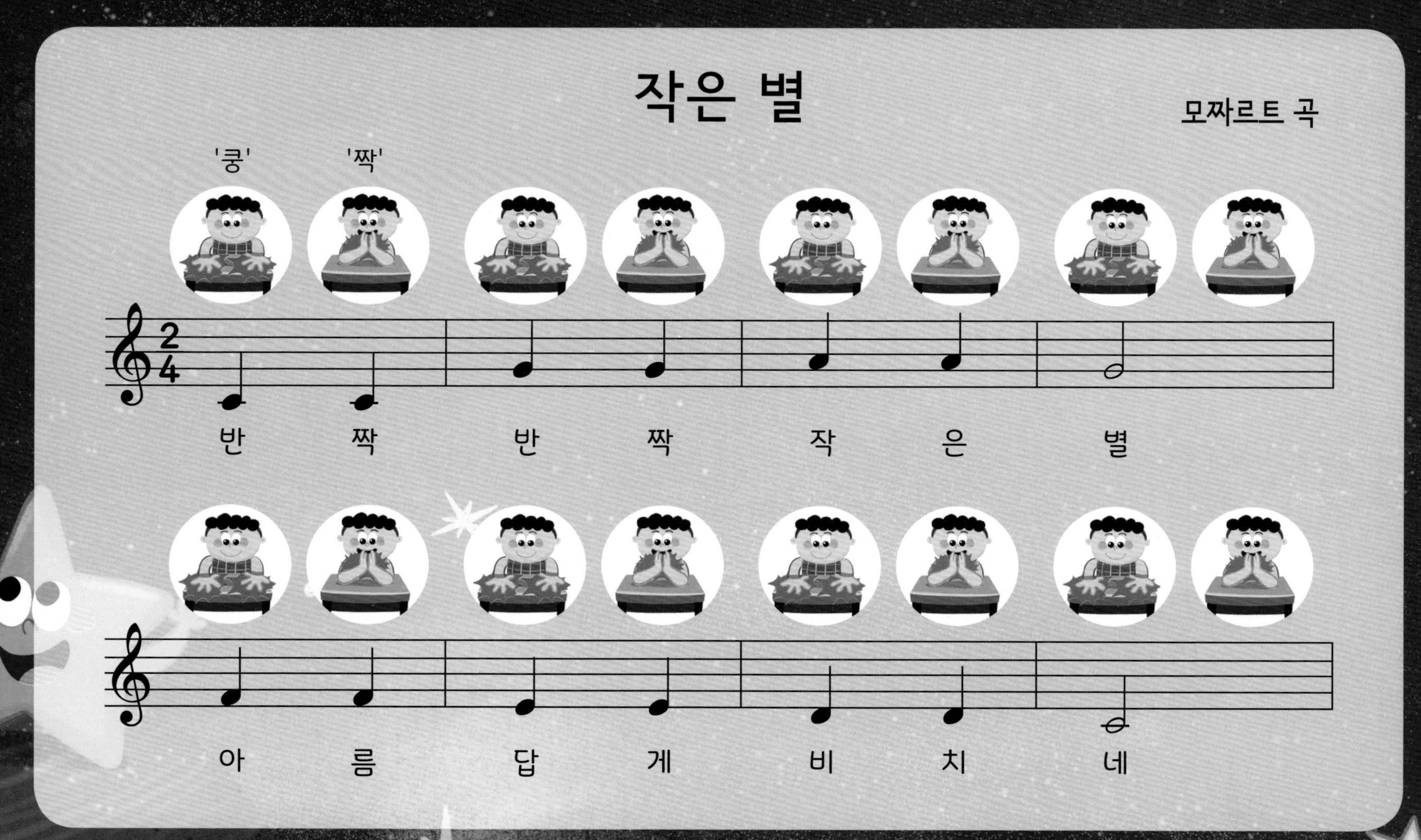

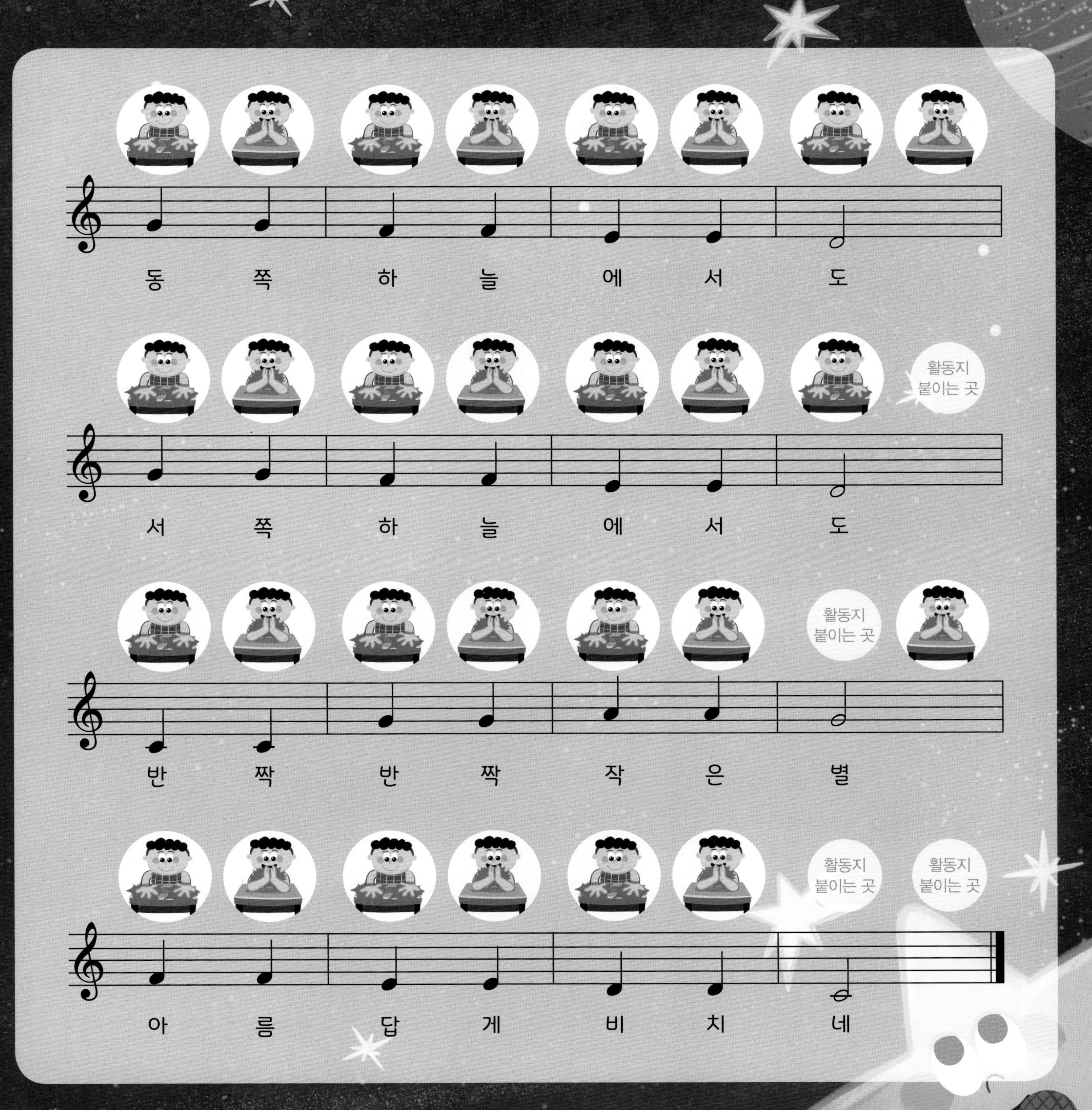

엄마는 선생님!

노래를 부르며 리듬을 맞추는 활동을 통해 반복되는 박자의 규칙을 알 수 있습니다. '쿵짝'이 반복되는 규칙입니다.

05
우리 가족은 아빠, 엄마, 동생 그리고 나 이렇게 4명이에요. 붙임딱지로 우리 가족의 얼굴을 재미있게 꾸며 보세요.
붙임딱지 ① ② 활동지 ①

첫 번째 그림을 A, 두 번째 그림을 B라고 할 때, **AB/AB/AB/AB**의 순서로 모양이 바뀌는 규칙입니다.
아이가 '할머니, 할아버지, 할머니, 할아버지, …'라고 말하면서 스스로 규칙을 찾을 수 있도록 지도합니다.

06
깊은 바닷속에 커다란 물고기가 살고 있어요. 잠수부 아저씨도 큰 물고기를 보러 왔나 봐요. 활동지를 작은 조각으로 오리거나 찢어 붙여서 나만의 커다란 물고기를 만들어 보세요.
활동지 ① ③

규칙 찾아 완성하기!

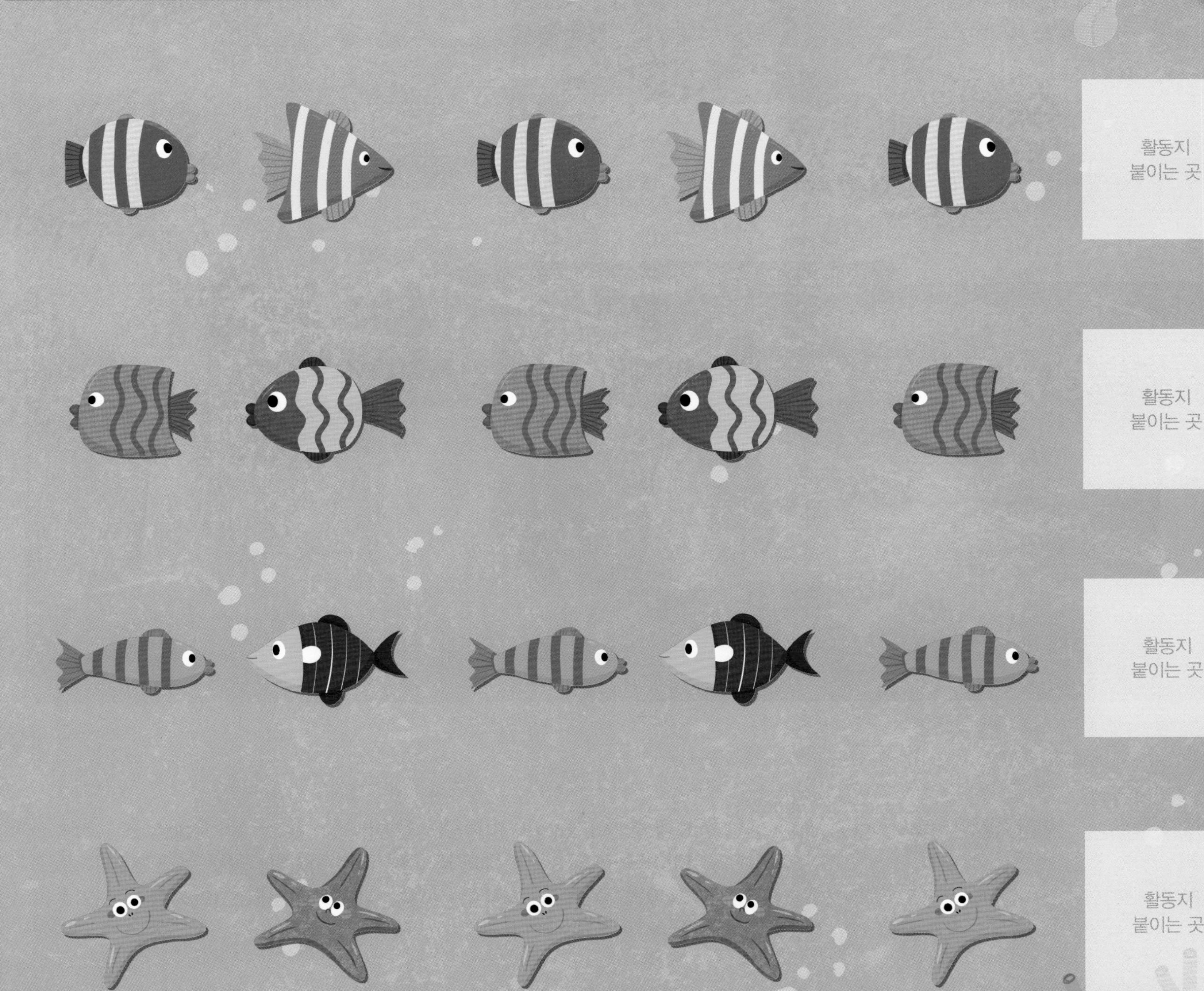

엄마는 선생님!

첫 번째 그림을 A, 두 번째 그림을 B라고 할 때. **AB/AB/AB/AB**의 순서로 색깔이나 모양이 바뀌는 규칙입니다.

07

꽃씨가 흩날리는 꽃밭이에요. 나비와 잠자리는 날아다니고 열심히 꿀을 모으는 꿀벌도 보이네요.
꽃밭 풍경을 이야기해 보고, **규칙을 찾아** 그림을 완성하세요. 활동지 ①

활동지
붙이는 곳

활동지
붙이는 곳

활동지
붙이는 곳

활동지
붙이는 곳

첫 번째 그림을 A, 두 번째 그림을 B라고 할 때, **AB**의 순서로 색깔이나 모양이 바뀌는 규칙입니다.

08

연결된 돌을 밟고 강을 건너려고 해요. ⬭, ◇ 모양의 돌이 반복되는 규칙으로 가다 보면 강을 건널 수 있어요. **규칙에 맞게 길을 찾아** 강을 건너 보세요.

도착
출발
엄마는 선생님!
주어진 규칙에 따라 길을 찾는 활동을 통해 규칙을 정확히 이해하게 되고, 그 규칙을 적용하여 문제를 해결할 수 있습니다.

09

친구들이 기차를 타고 소풍을 가고 있어요. 창밖을 보며 손을 흔들고 있네요.

점과 점을 선으로 이어 친구들이 타고 가는 **기차를 완성**해 보세요. 활동지 ①

규칙 찾아 완성하기!

엄마는 선생님!

첫 번째 그림을 A, 두 번째 그림을 B라고 할 때, AB/AB/AB/AB의 순서로 모양과 색깔이 바뀌는 규칙입니다.

10 엄마와 함께 '나비야' 노래를 부르며 리듬에 맞춰 **규칙적인 동작**을 해 보세요.

활동지 ①

Let's study!

1. 엄마가 먼저 노래를 부르고 아이가 따라 부르며 노래를 익힙니다.
2. 노래에 맞춰 '쿵쿵짝짝' 리듬 동작을 해 봅니다.
3. 노래와 동작이 익숙해지면 동작 규칙을 바꿔 가며 재미있게 노래해 봅니다.

예

나비야

독일 민요

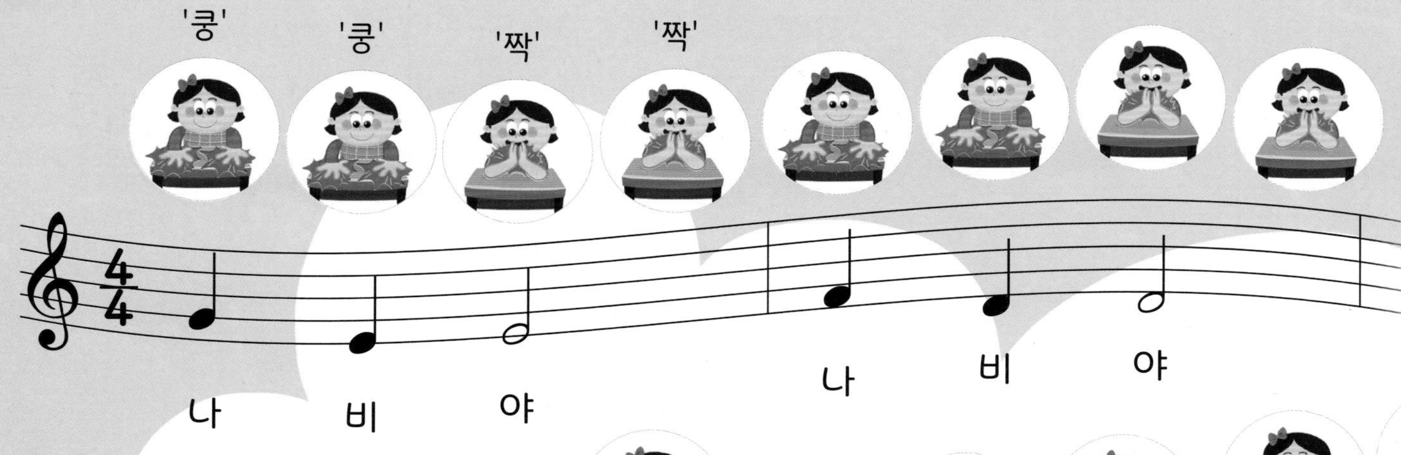

엄마는 선생님!

노래를 부르며 리듬을 맞추는 활동을 통해 반복되는 박자의 규칙을 알 수 있습니다. '쿵쿵짝짝'이 반복되는 규칙입니다.

11

우주선을 타고 외계인 친구가 지구로 놀러 오고 있어요. 조종석에는 4명의 외계인이 있네요.
붙임딱지로 **외계인의 얼굴을 재미있게** 꾸며 보세요. 붙임딱지 ① ② 활동지 ①

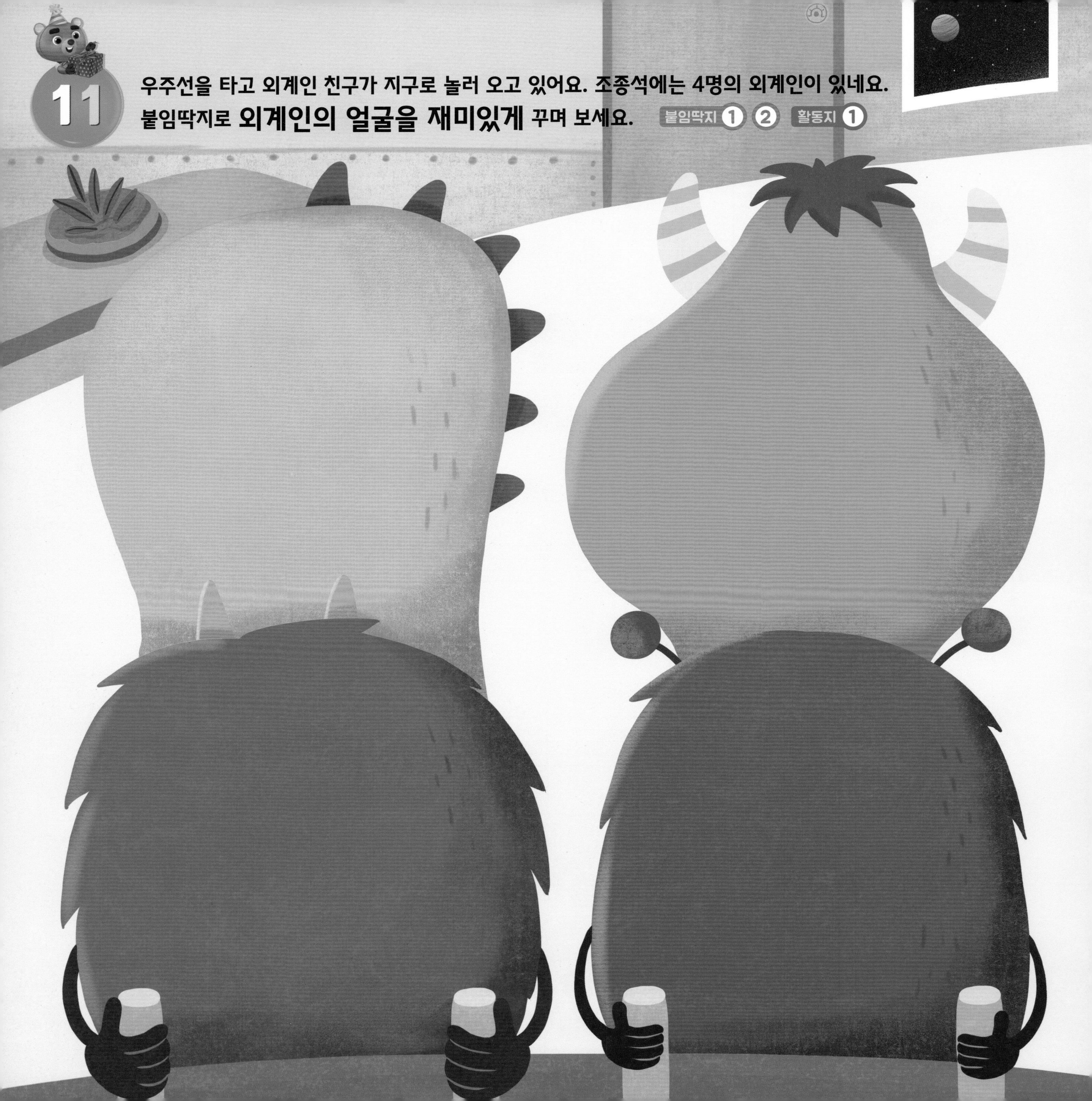

규칙 찾아 완성하기!

활동지
붙이는 곳

활동지
붙이는 곳

활동지
붙이는 곳

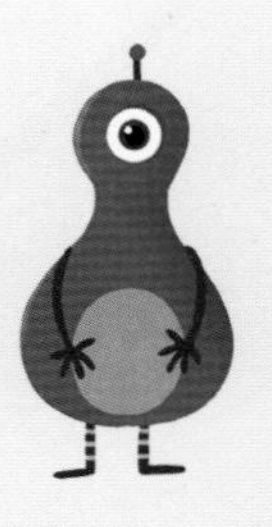

활동지
붙이는 곳

엄마는 선생님!

첫 번째 그림을 A, 두 번째 그림을 B라고 할 때, **AB/AB/AB/AB**의 순서로 모양이 바뀌는 규칙입니다.

12

꽃이 핀 들판에 나비가 훨훨 날아다녀요. 복슬복슬 아기 양도 꽃향기가 좋은가 봐요. 활동지를 작은 조각으로 오리거나 찢어 붙여서 **나만의 특별한 나비**를 만들어 보세요. 활동지 ① ④

규칙 찾아 완성하기!

활동지
붙이는 곳

활동지
붙이는 곳

활동지
붙이는 곳

활동지
붙이는 곳

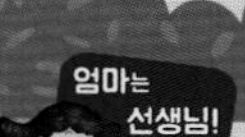

첫 번째 그림을 A, 두 번째 그림을 B라고 할 때, **AB/AB/AB/AB**의 순서로 색깔이나 모양이 바뀌는 규칙입니다.

13

멋진 왕자님이 어여쁜 공주님께 꽃을 바치고 있어요. 파랑새는 창가에서 아름다운 노래를 부르고 있네요.

점과 점을 선으로 이어 공주님의 **궁전을 완성**해 보세요. 활동지 ①

규칙 찾아 완성하기!

엄마는 선생님!

첫 번째 그림을 A, 두 번째 그림을 B라고 할 때, **AB/AB/AB/AB**의 순서로 모양과 색깔이 바뀌는 규칙입니다.

14

친구가 아끼는 모자와 가방이 있어요. 이 모자와 가방에 멋진 얼굴을 만들어 주고 싶어요.
붙임딱지로 **모자와 가방에 나만의 얼굴**을 꾸며 보세요. 붙임딱지 ① ② 활동지 ①

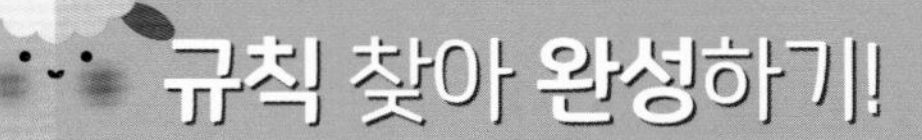

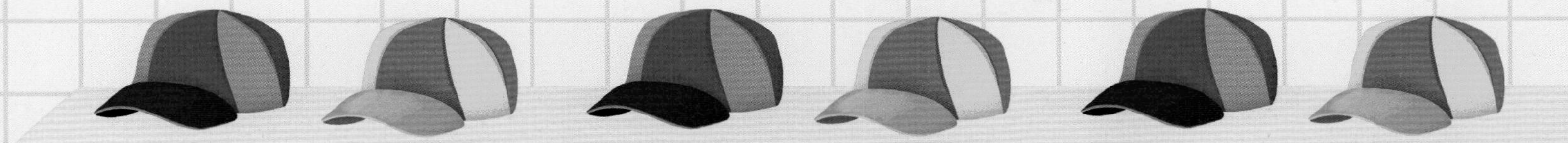

활동지
붙이는 곳

활동지
붙이는 곳

엄마는 선생님!

첫 번째, 두 번째, 세 번째 그림을 각각 A, B, C라고 할 때, **AB/AB/ABC/ABC**의 순서로 모양이 바뀌는 규칙입니다.

15 농장에 여러 가지 동물들이 살고 있어요. 어떤 동물들이 있는지 이야기해 보고, **규칙을 찾아** 그림을 완성하세요. 활동지 1

엄마는 선생님!

첫 번째 그림을 A, 두 번째 그림을 B라고 할 때, **AB**의 순서로 색깔이나 모양이 바뀌는 규칙입니다.

16

연결된 돌을 밟고 늪을 건너려고 해요. 🪨, ♡ 모양의 돌이 반복되는 규칙으로 가다 보면 늪을 빠져나올 수 있어요. **규칙에 맞게 길을 찾아** 늪을 건너 보세요.

도착
엄마는 선생님!
주어진 규칙에 따라 길을 찾는 활동을 통해 규칙을 정확히 이해하게 되고, 그 규칙을 적용하여 문제를 해결할 수 있습니다.

17

냉장고에 맛있는 음식들이 많이 있어요. 그런데 이 음식에 얼굴이 있다면 과연 어떤 모습일까요?
재미있는 상상을 하면서 붙임딱지로 **음식의 얼굴을 꾸며** 보세요. 붙임딱지 ① ② 활동지 ②

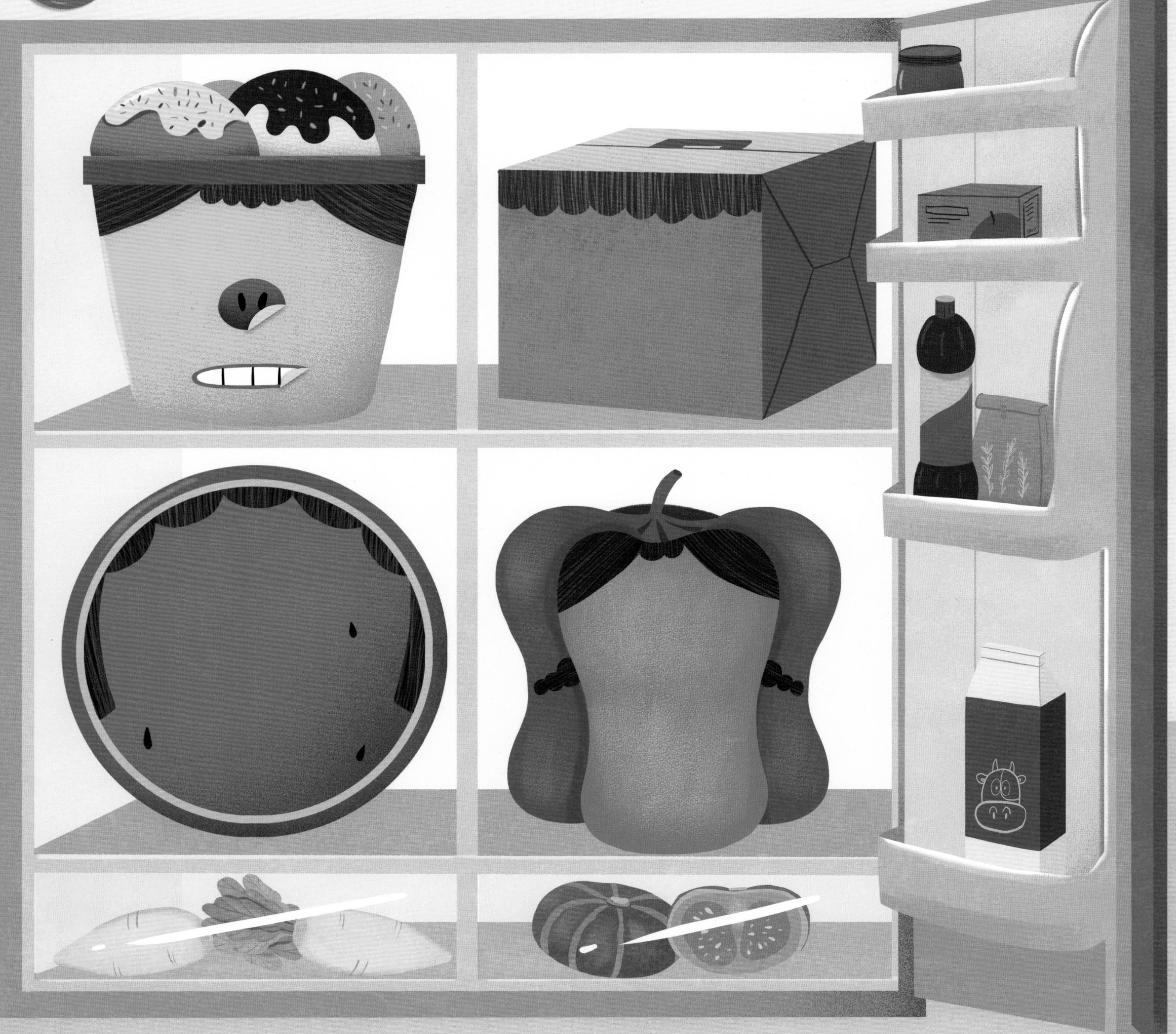

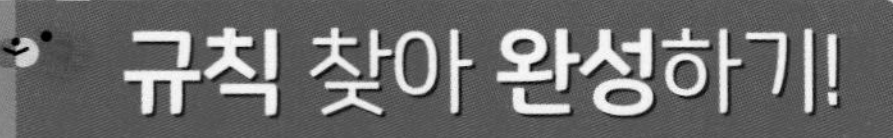

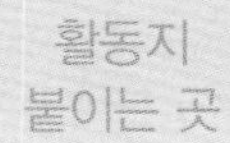

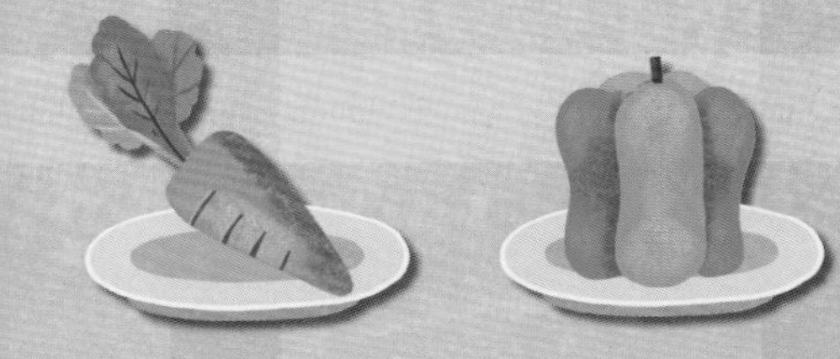

활동지
붙이는 곳

활동지
붙이는 곳

활동지
붙이는 곳

첫 번째, 두 번째, 세 번째 그림을 각각 A, B, C라고 할 때, **AB/AB/AB/ABC**의 순서로 음식이 바뀌는 규칙입니다.

18 애벌레가 꿈틀꿈틀 부지런히 나뭇잎 위를 기어가고 있어요. 달팽이와 매미도 보이네요. 활동지를 작은 조각으로 오리거나 찢어 붙여서 **나만의 귀여운 애벌레**를 만들어 보세요. 활동지 ② ④

규칙 찾아 완성하기!

첫 번째, 두 번째, 세 번째 그림을 각각 A, B, C라고 할 때, **AB/AB/AB/ABC**의 순서로 색깔이나 모양이 바뀌는 규칙입니다.

19

헬리콥터가 날아가고 있어요. 낙하산을 타고 내려오는 악어도 보이고 신기해하는 토끼의 얼굴도 보여요.

점과 점을 선으로 이어 헬리콥터를 완성해 보세요. 활동지 ②

규칙 찾아 완성하기!

활동지 붙이는 곳

활동지 붙이는 곳

활동지 붙이는 곳

활동지 붙이는 곳

엄마는 선생님!

첫 번째 그림을 A, 두 번째 그림을 B라고 할 때, **AB/AB/AB/AB**의 순서로 색깔과 모양이 바뀌는 규칙입니다.

20 엄마와 함께 즐겁게 노래를 부르며 리듬에 맞춰 **규칙적인 동작**을 해 보세요. 활동지 ❷

Let's study!

❶ 엄마가 먼저 노래를 부르고 아이가 따라 부르며 노래를 익힙니다.

❷ 노래에 맞춰 '쿵짝짝' 리듬 동작을 해 봅니다.

❸ 노래와 동작이 익숙해지면 가사를 바꿔 가며 재미있게 노래해 봅니다.

예 무엇이 얼마나 똑같나요~ 털장갑 두 짝이 똑같아요~
무엇이 얼마나 똑같나요~ 젓가락 한 쌍이 똑같아요~

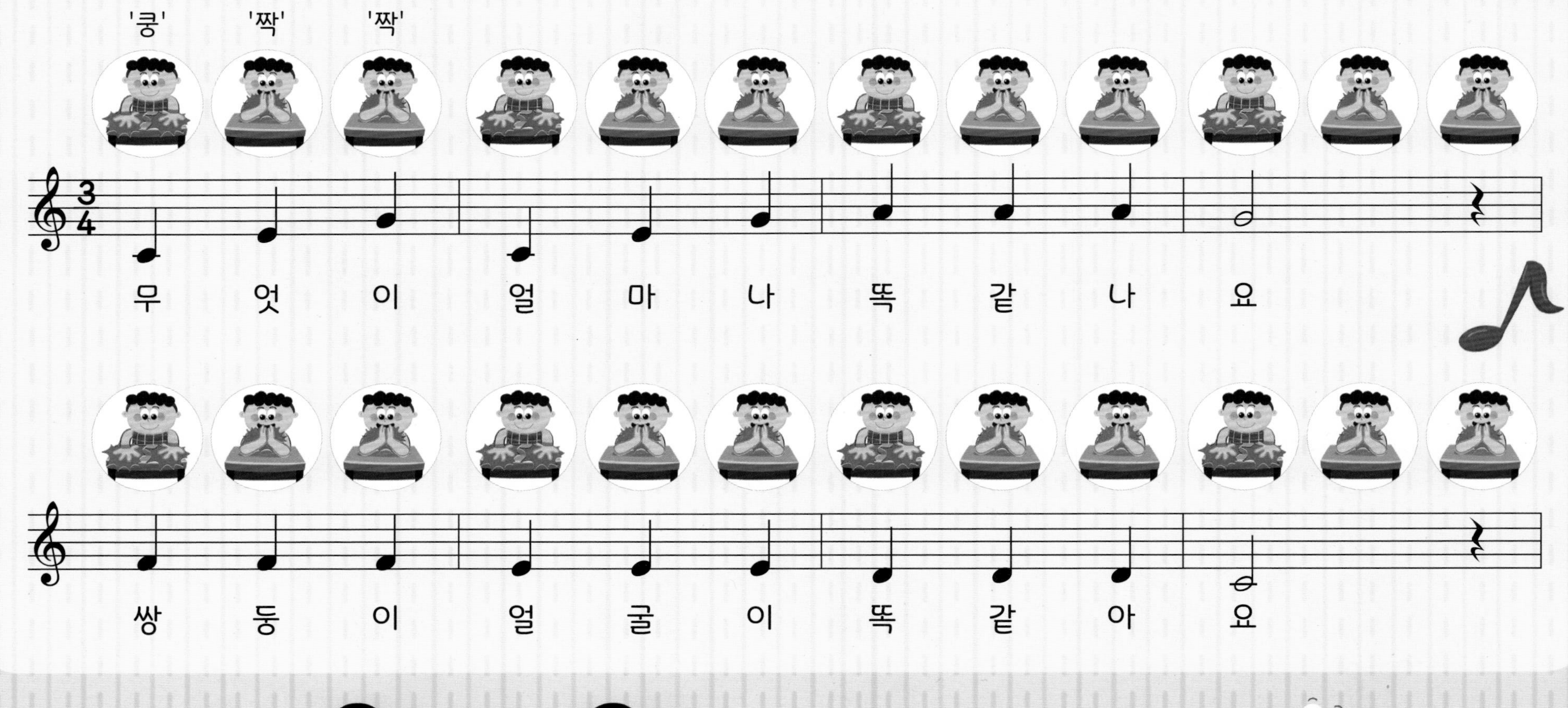

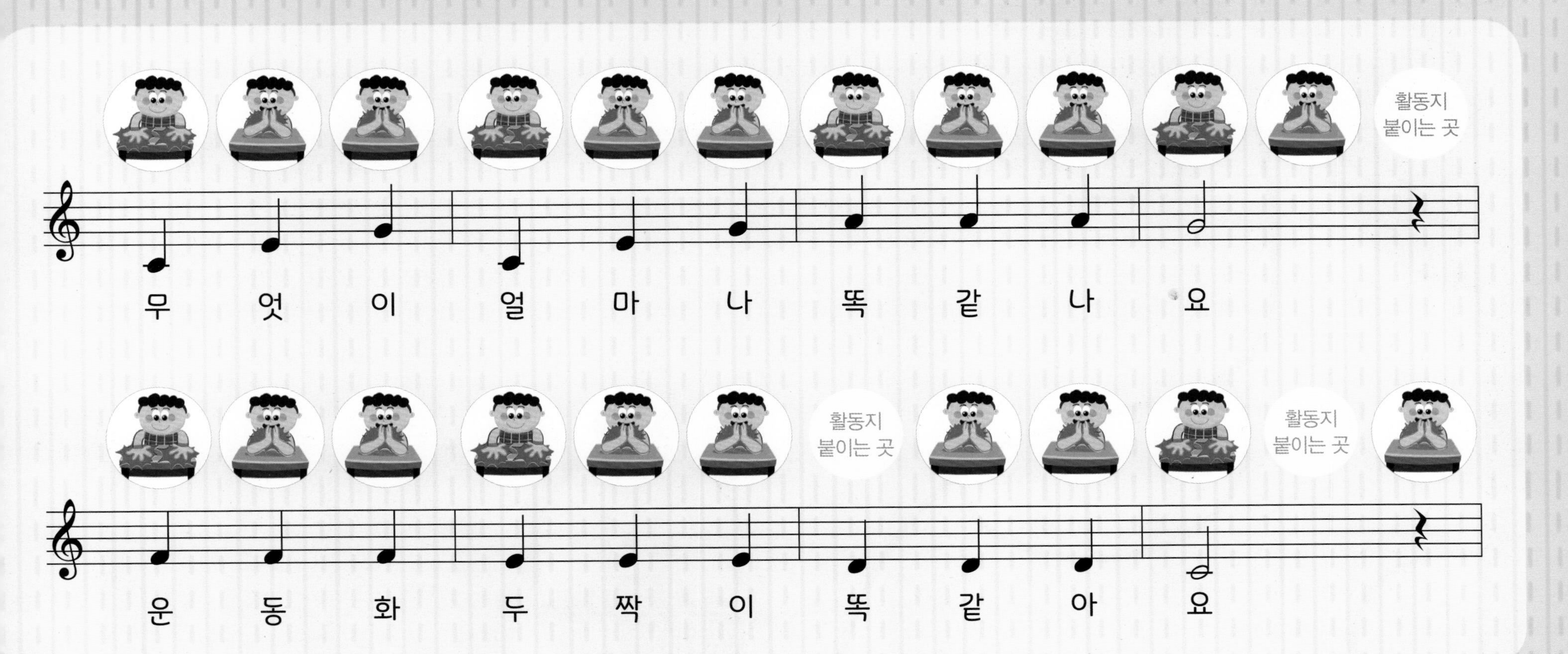

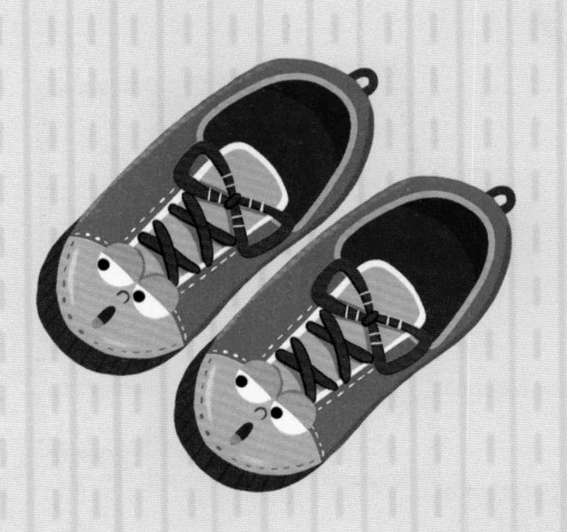

엄마는 선생님!

노래를 부르며 리듬을 맞추는 활동을 통해 반복되는 박자의 규칙을 알 수 있습니다. '쿵짝짝'이 반복되는 규칙입니다.

21
엄마 기린과 아기 기린이 산책을 하고 있어요. 아기 기린은 무엇이 신기한지 눈이 휘둥그레져 있네요.
활동지를 작은 조각으로 오리거나 찢어 붙여서 나만의 특별한 기린을 만들어 보세요.
활동지 ② ⑤

규칙 찾아 완성하기!

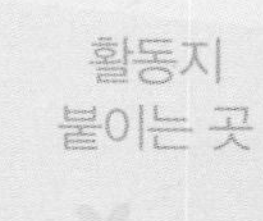

활동지
붙이는 곳

활동지
붙이는 곳

활동지
붙이는 곳

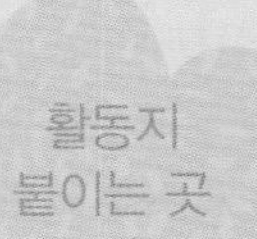

활동지
붙이는 곳

엄마는 선생님!

첫 번째, 두 번째, 세 번째 그림을 각각 A, B, C라고 할 때, **AB/AB/AB/ABC**의 순서로 모양이 바뀌는 규칙입니다.

22

숲속 연못에 동물들이 모여 있어요. 무슨 재미있는 일이 있나 봐요. 어떤 동물들이 보이는지 이야기해 보고, **규칙을 찾아** 그림을 완성하세요. 활동지 ②

활동지
붙이는 곳
활동지
붙이는 곳
활동지
붙이는 곳
엄마는
선생님!
첫 번째 그림을 A, 두 번째 그림을 B라고 할 때, AB의 순서로 색깔이나 모양이 바뀌는 규칙입니다.

23

연결된 돌을 밟고 호수를 건너려고 해요. (돌), (돌), (돌) 모양의 돌이 반복되는 규칙으로 가다 보면 호수를 건널 수 있어요. **규칙에 맞게 길을 찾아** 호수를 건너 보세요.

도착
출발
엄마는 선생님!
주어진 규칙에 따라 길을 찾는 활동을 통해 규칙을 정확히 이해하게 되고, 그 규칙을 적용하여 문제를 해결할 수 있습니다.

24

주방에는 많은 물건들이 있어요. 이 물건에 눈, 코, 입을 붙이면 갑자기 깨어나 말을 하고 노래를 부르지는 않을까요? 신기한 상상을 하면서 붙임딱지로 **얼굴을 만들어** 보세요. 붙임딱지 ① ② 활동지 ②

규칙 찾아 완성하기!

활동지
붙이는 곳

엄마는 선생님!

첫 번째, 두 번째, 세 번째 그림을 각각 A, B, C라고 할 때, **AB/AB/AB/ABC**의 순서로 모양이 바뀌는 규칙입니다.

25

커다란 거미줄에 거미가 앉아 있어요. 거미줄에 대롱대롱 매달려 있는 거미도 있네요. 그런데 왠지 거미줄이 약해 보여요. **점과 점을 선으로 이어 거미줄**을 튼튼하게 만들어 주세요. 활동지 ②

규칙 찾아 완성하기!

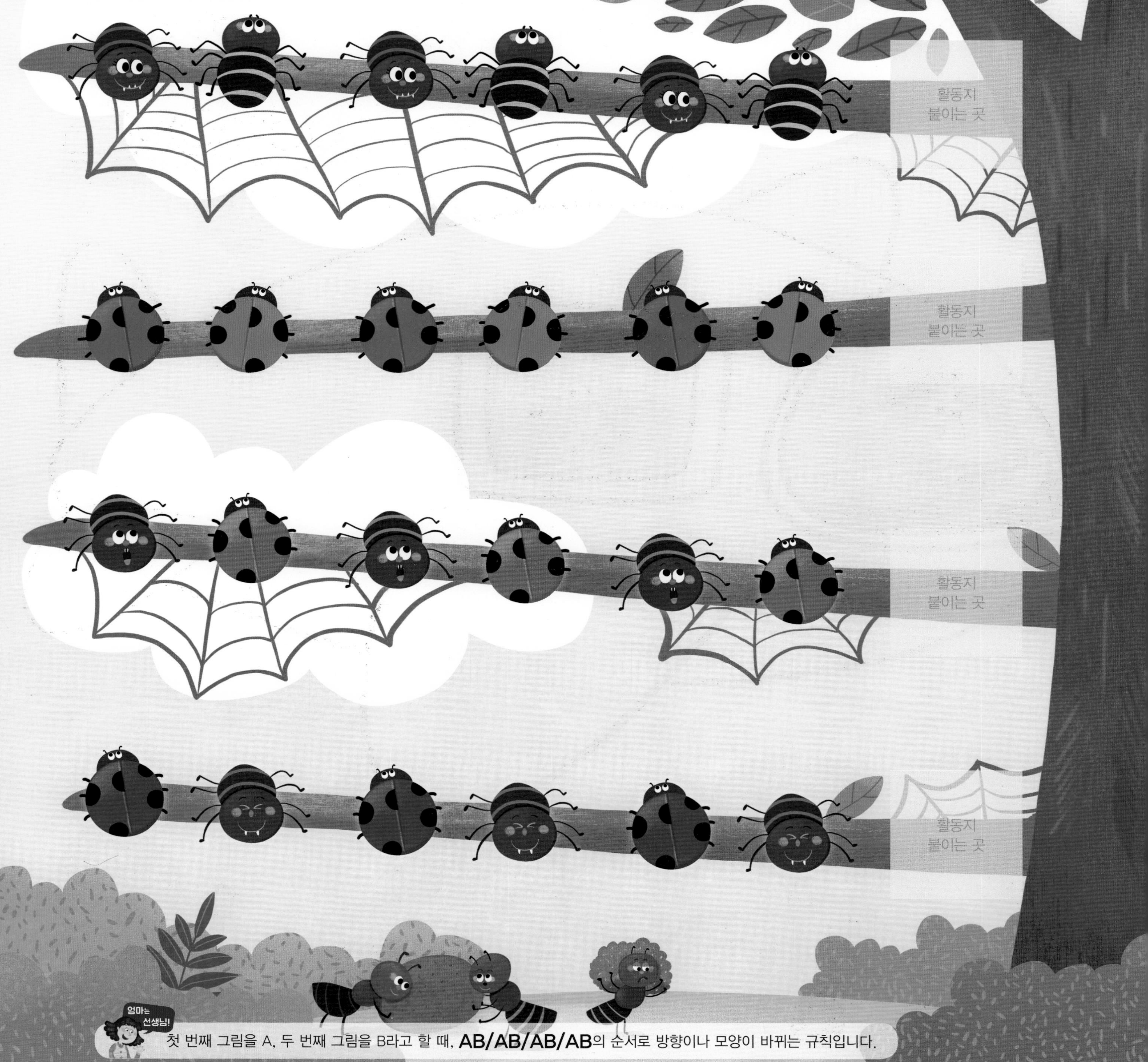

활동지 붙이는 곳

활동지 붙이는 곳

활동지 붙이는 곳

활동지 붙이는 곳

엄마는 선생님!

첫 번째 그림을 A, 두 번째 그림을 B라고 할 때, **AB/AB/AB/AB**의 순서로 방향이나 모양이 바뀌는 규칙입니다.

26

비행기가 날고 있어요. 하늘에서 바라보는 모습이 신기한지 생쥐는 신난 표정이네요. 활동지를 작은 조각으로 오리거나 찢어 붙여서 **나만의 특별한 비행기**를 만들어 보세요. 활동지 ② ⑤

규칙 찾아 완성하기!

활동지
붙이는 곳

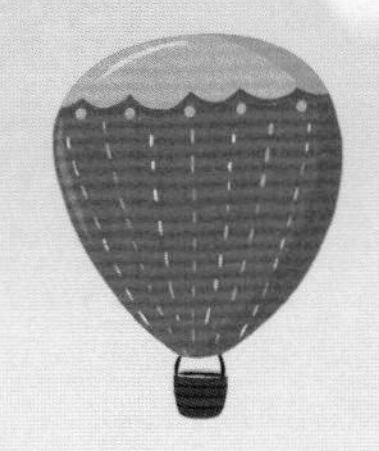
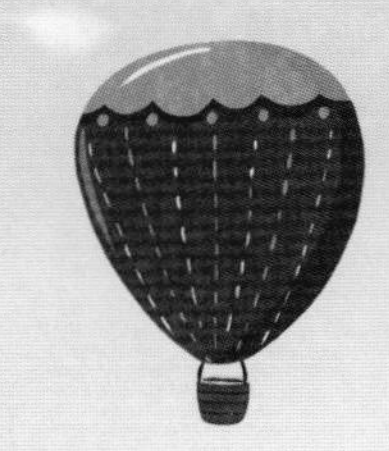
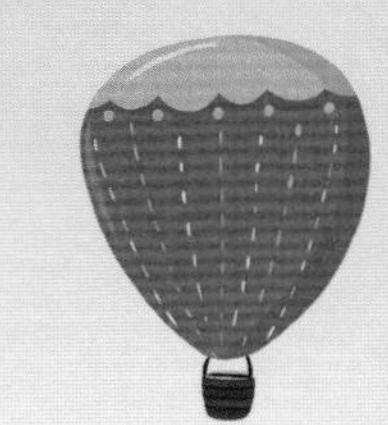
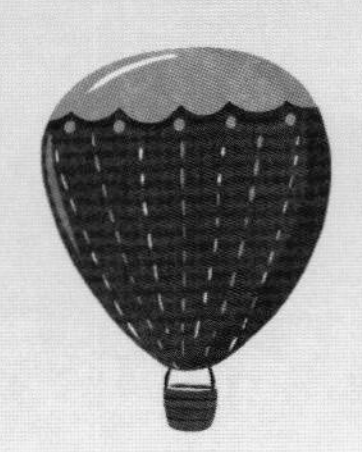
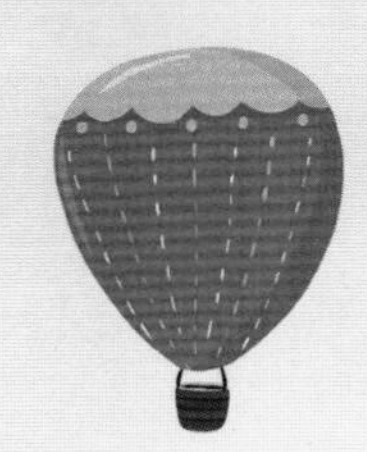
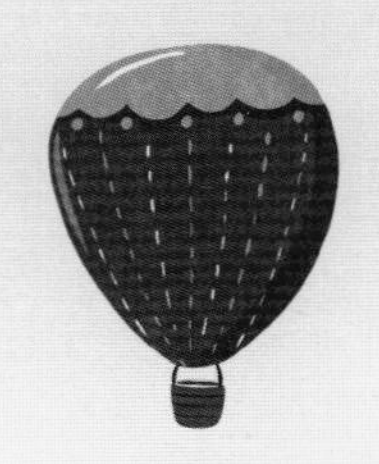

활동지
붙이는 곳

활동지
붙이는 곳

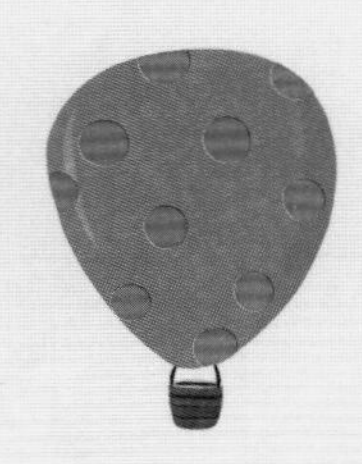

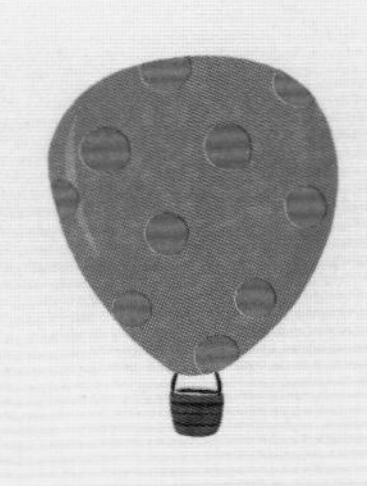

활동지
붙이는 곳

엄마는 선생님!

첫 번째, 두 번째, 세 번째 그림을 각각 A, B, C라고 할 때, AB/AB/ABC/ABC의 순서로 모양 또는 색깔이 바뀌는 규칙입니다.

27 엄마와 함께 즐겁게 노래를 부르며 리듬에 맞춰 **규칙적인 동작**을 해 보세요.

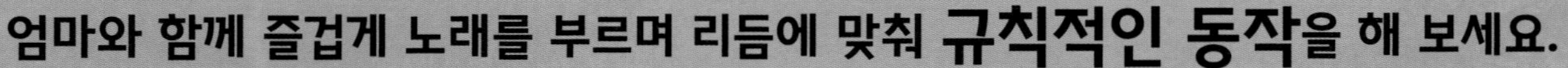

Let's study!

❶ 엄마가 먼저 노래를 부르고 아이가 따라 부르며 노래를 익힙니다.

❷ 노래에 맞춰 율동을 해 봅니다.

❸ 노래와 율동이 익숙해지면 '머리', '어깨', '무릎' 등의 단어 중 한 가지씩을 정해 그 단어가 나오면 소리를 내지 않거나 율동을 하지 않기로 규칙을 정해 재미있게 노래해 봅니다.

머리어깨무릎발

엄마는 선생님!

노래를 부르며 박자에 맞게 율동을 하는 활동을 통해 동작의 규칙을 알 수 있습니다. 처음과 규칙이 달라지는 부분을 찾아 아이와 이야기해 봅니다.

28
커다란 우리에 사자와 얼룩말이 얌전히 앉아 있어요. 사육사가 주는 맛있는 먹이를 기다리나 봐요.
점과 점을 선으로 이어 동물의 모습을 완성해 보세요.
활동지 2

규칙 찾아 완성하기!

엄마는 선생님! 첫 번째, 두 번째, 세 번째 그림을 각각 A, B, C라고 할 때, **AB/AB/ABC/ABC**의 순서로 모양이 바뀌는 규칙입니다.

29

연결된 돌을 밟고 바다를 건너려고 해요. ⬭, ⬠, ▲ 모양의 돌이 반복되는 규칙으로 가다 보면 바다를 건널 수 있어요. **규칙에 맞게 길을 찾아** 바다를 건너 보세요.

엄마는 선생님!

주어진 규칙에 따라 길을 찾는 활동을 통해 규칙을 정확히 이해하게 되고, 그 규칙을 적용하여 문제를 해결할 수 있습니다.

30 바다 위에 배가 떠 있고 낙하산을 타고 내려오는 사람도 보이네요. 바다 풍경을 이야기해 보고, **규칙을 찾아** 그림을 완성하세요. 활동지 ②

활동지 붙이는 곳

활동지 붙이는 곳

활동지 붙이는 곳

활동지 붙이는 곳

활동지
붙이는 곳
활동지
붙이는 곳
활동지
붙이는 곳
엄마는
선생님!
첫 번째, 두 번째, 세 번째 그림을 각각 A, B, C라고 할 때, AB 또는 ABC의 순서로 색깔이나 모양이 바뀌는 규칙입니다.

MEMO

활동지 5

※ 꾸며야 할 그림에 먼저 풀을 칠한 후
종이를 찢어 붙이세요.

※ 꾸며야 할 그림에 먼저 풀을 칠한 후
종이를 찢어 붙이세요.

※ 꾸며야 할 그림에 먼저 풀을 칠한 후
종이를 찢어 붙이세요.

활동지 ②

17
18
19
20
21
22
24
25
26
28

30

활동지 1

01
02
03
04
05
06
07
09
10
11
12
13
14
15

붙임딱지 ②

코

입

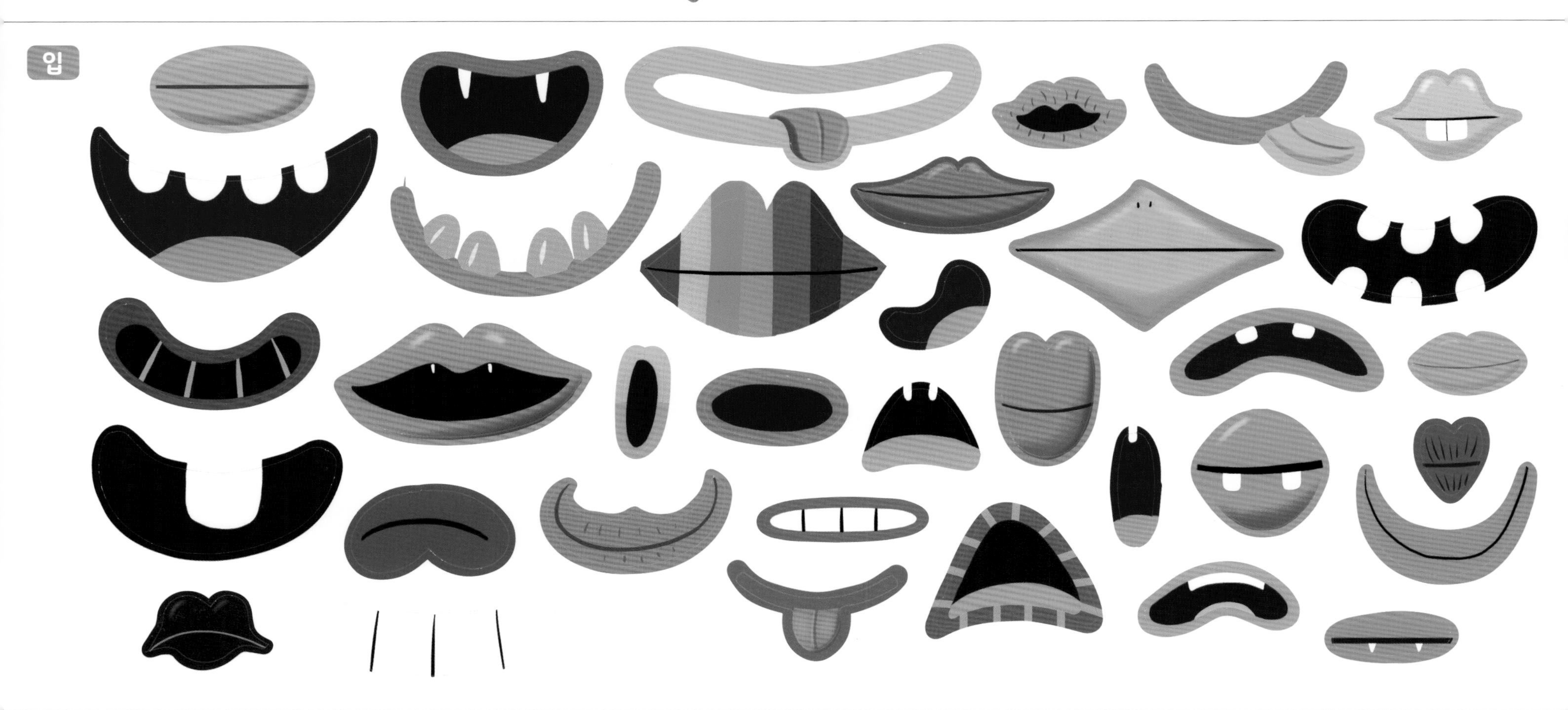

수염

붙임딱지 1
01 05 11 14 17 24
눈썹
눈